Pour l'édition originale
Textes écrits par Stephanie Milton
avec l'aide de Paul Soares Jr, FyreUK et CNB Minecraft
Mis en page par Andrea Philpots et Joe Bolder
Illustrations de Theo Cordner, Joe Bolder et FyreUK
Fabrication de Louis Harvey et Caroline Hancock
Remerciements particuliers à Lydia Winters, Owen Hill et Junkboy

◼MOJANG

MIX
Paper from
responsible sources
FSC® C018306

Pour l'édition française
Traduction : Alexandre Fil
Mise en page et relecture : IndoLogic Pvt. Ltd. (Pondichéry, Inde)
Responsable éditorial : Thomas Dartige
Suivi d'édition : Éric Pierrat
Correction : Emmanuel de Saint-Martin et Isabelle Haffen

Avertissement aux parents à propos d'Internet : toutes les adresses de sites Internet
données dans ce livre sont correctes au moment où nous imprimons. Gallimard Jeunesse
vérifie et met à jour régulièrement les liens sélectionnés ; leur contenu peut cependant changer.
Gallimard Jeunesse ne peut être tenu pour responsable que du contenu de son propre site
et non de celui des sites tiers qui peut changer à tout moment.
Nous recommandons que les enfants utilisent Internet en présence d'un adulte,
ne fréquentent pas les *tchats* et utilisent un ordinateur équipé d'un filtre pour éviter
les sites non recommandables.

Avertissement aux enfants à propos d'Internet : Demandez toujours la permission
à un adulte avant de vous connecter au réseau Internet. • Ne donnez jamais d'informations
sur vous. • Ne donnez jamais rendez-vous à quelqu'un que vous avez rencontré
sur Internet. • Si un site vous demande de vous inscrire avec votre nom et votre adresse
e-mail, demandez d'abord la permission à un adulte. • Ne répondez jamais
aux messages d'un inconnu, parlez-en à un adulte.

L'éditeur a fait tous ses efforts pour retrouver les propriétaires
des droits des documents reproduits dans ce livre. En cas d'omissions
involontaires, l'éditeur sera heureux de rectifier.

Édition originale parue sour le titre : *Minecraft Combat handbook*
publiée au Royaume-Uni en 2014 par Egmont UK Limited
Cette nouvelle édition originale parue sous le titre : *Minecraft Combat handbook*
publiée au Royaume-Uni en 2015 par Egmont UK Limited

ISBN : 978-2-07-066601-0
Copyright © 2015 Gallimard Jeunesse, Paris
Premier dépôt légal : juin 2015
Dépôt légal : juin 2016
N° d'édition : 297932
Loi n° 49-956 du 16 juillet 1949
sur les publications destinées à la jeunesse.

Imprimé et relié en Italie
par Rotolito Lombarda S.p.A.

MINECRAFT

MOJANG

COMBAT
LE GUIDE OFFICIEL

SOMMAIRE

INTRODUCTION

BIENVENUE DANS LE GUIDE OFFICIEL DES COMBATTANTS MINECRAFT. UNE LECTURE INDISPENSABLE POUR LES VRAIS GUERRIERS !

Ce manuel est rempli de conseils prodigués par des spécialistes de Minecraft comme FyreUK, le célèbre YouTubeur Paul Soares Jr et CNB Minecraft, expert en redstone.

Apprends comment défendre ta maison, construire un fort, combattre les monstres, installer des pièges, dominer les autres en PVP (ou JcJ, Joueurs contre joueurs), échapper à la mort dans le Nether et annihiler le redoutable dragon de l'Ender.

Avec l'aide de ce guide, tu deviendras rapidement un guerrier de tout premier plan !

ASTUCE : LA SÉCURITÉ EN LIGNE

Jouer sur un serveur Minecraft en mode Multijoueur est génial ! Voici quelques conseils de sécurité pour que, dans ce cas, Minecraft reste un jeu convivial et sûr :

- Ne donne jamais ton vrai nom, choisis un pseudonyme.
- Ne communique aucune donnée personnelle.
- Ne révèle à personne ni ton école ni ton âge.
- Ne révèle à personne ton mot de passe, sauf à tes parents.

LES ARMES BASIQUES

Les armes sont des objets servant à infliger des dégâts à d'autres joueurs ou aux monstres. Elles permettent aussi de bloquer les attaques. Voici plusieurs armes simples qui sont indispensables dans l'arsenal de tout guerrier.

L'ÉPÉE

Grâce à son tranchant, l'épée est la meilleure arme pour se battre corps à corps avec l'ennemi. Une épée peut être fabriquée à partir d'un bâton puis de 2 blocs de planches de bois, de pierre, de lingots de fer, d'or ou de diamant. Les épées en diamant sont de loin les plus mortelles et s'usent très lentement, mais le diamant est une des ressources les plus difficiles à trouver puisqu'il ne se trouve que profondément sous la surface de ton monde Minecraft. Si tu n'as pas de diamant, fabrique-toi une épée avec l'élément le plus robuste à ta disposition.

LES CARACTÉRISTIQUES DE L'ÉPÉE

TYPE	Bois	Pierre	Fer	Or	Diamant
DURÉE DE VIE	60	132	251	33	1562
DÉGÂTS INFLIGÉS	5	6	7	5	8
NOMBRE DE VICTIMES	15–24	39–66	87–138	8–13	624–1015
DÉGÂTS CUMULÉS	150–240	396–660	878–1380	82–132	6248–10153

LE PATRON DE L'ÉPÉE EN BOIS

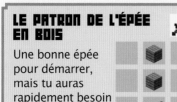

Une bonne épée pour démarrer, mais tu auras rapidement besoin de mieux.

LE PATRON DE L'ÉPÉE EN PIERRE

Un peu plus de tranchant, suffisante jusqu'à la découverte de minerais plus rares.

LE PATRON DE L'ÉPÉE EN FER

On passe aux choses sérieuses! Une épée en fer dure un bon moment.

LE PATRON DE L'ÉPÉE EN OR

Une épée en or ne tient pas longtemps, mais c'est la plus facile à enchanter.

LE PATRON DE L'ÉPÉE EN DIAMANT

La meilleure arme pour les joueurs qui veulent dominer le monde.

L'ENTRETIEN DE L'ÉPÉE

Tu peux renommer et réparer ton épée avec une enclume. Accède à ton enclume avec un clic droit et place l'épée dans le premier emplacement. Puis ajoute une deuxième épée pour réparer la première, ou change le texte pour la renommer. Le coût en expérience de l'opération apparaîtra en bas de la fenêtre.

LE PATRON DE L'ENCLUME

Une enclume peut être fabriquée à partir de 3 blocs de fer et 4 lingots de fer.

RÉPARE & RENOMME

Épée de la destruction

Coût d'enchantement : 7

LES ARMES BASIQUES ... (SUITE)

LES ARCS ET LES FLÈCHES

L'avantage principal de l'arc est qu'il permet d'attaquer de loin et de rester hors de portée de l'ennemi, contrairement à l'épée.

LE PATRON DE L'ARC

Un arc peut être fabriqué à partir de 3 bâtons et 3 ficelles.

Durée de vie : 385

LE PATRON DES FLÈCHES

Les flèches peuvent être fabriquées à partir d'un silex (obtenu en minant du gravier), d'un bâton et d'une plume (relâchée par les poulets en mourant).

Une flèche tirée à pleine puissance peut infliger jusqu'à 9 points de dégâts. Pour bander ton arc, maintiens juste le clic droit jusqu'au moment où il commence à vibrer. Cela te permettra de tirer plus loin et d'infliger un maximum de dommages. Cela prend à peine 1 seconde pour charger son arc, ce qui est très utile en plein combat.

À SAVOIR

Les arcs peuvent être enchantés avec de nombreux effets utiles comme «Solidité», «Frappe» et «Flamme». Va aux p. 38 à 41 pour plus d'informations.

Va aux p. 38 à 41 pour plus d'informations.

ENCHANTER

⬗⬡⬢ ⬡⬢⬣⬤⬥ ⬦⬧⬨⬩ ⬪⬫⬬⬭⬮⬯⬰⬱	6
⬲⬳⬴⬵ ⬶⬷⬸⬹ ⬺⬻⬼⬽⬾⬿	8
⭀⭁⭂⭃ ⭄⭅⭆⭇⭈ ⭉⭊⭋⭌⭍⭎ ⭏⭐⭑⭒⭓⭔	30

LES DISTRIBUTEURS

Comme son nom l'indique, un distributeur est un appareil qui stocke et distribue des objets. Il peut être utilisé pour tirer des flèches enflammées, des œufs, des boules de neige et des potions volatiles sur tes ennemis. Il peut contenir jusqu'à 9 piles (stacks) de 64 objets.

LE PATRON DU DISTRIBUTEUR

Un distributeur peut être fabriqué à partir de pierre, de poudre de redstone et d'un arc.

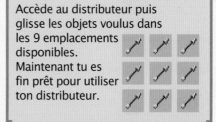

LE PATRON DU LEVIER

Connecte-le maintenant à un levier en utilisant de la poudre de redstone. Il peut être fabriqué à partir d'une pierre et d'un bâton.

Accède au distributeur puis glisse les objets voulus dans les 9 emplacements disponibles. Maintenant tu es fin prêt pour utiliser ton distributeur.

Tire sur le levier pour activer le distributeur et les munitions de ton choix en sortiront. Vérifie bien qu'il est tourné dans la bonne direction.

LES ARMES BASIQUES
... (SUITE)

LE BRIQUET

C'est un outil très pratique pour faire du feu et il peut aussi être utilisé comme une arme. Une fois fabriqué, place-le dans ta barre d'inventaire rapide et enflamme (clic droit) le bloc que tu veux. Vise le bloc sous les pieds de ton adversaire ou un bloc sur son chemin, et tu seras vite débarrassé de lui.

LE PATRON DU BRIQUET

Un briquet peut être fabriqué à partir d'un silex et d'un lingot de fer.

LE SEAU DE LAVE

Un seau de lave peut être utilisé pour blesser plusieurs adversaires à la fois puisqu'il peut être placé sur leur chemin ou déversé sur leurs têtes. Trouve de la lave, sélectionne le seau dans ta barre d'inventaire rapide et remplis-le. Pour verser la lave où tu veux, utilise juste (clic droit) le seau plein à l'endroit voulu.

LE PATRON DU SEAU

Tu auras besoin de 3 lingots de fer pour faire un seau pouvant contenir de la lave.

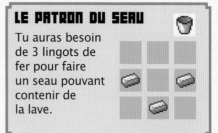

ATTENTION : tu peux facilement mettre le feu lorsque tu manies un briquet ou de la lave. Garde un seau d'eau dans ta barre d'inventaire rapide pour éteindre tout début d'incendie accidentel.

LE TNT

Enclenche le bloc de TNT avec un briquet, du feu, un courant de redstone ou une explosion à proximité du bloc. S'il est allumé avec un briquet, éloigne-toi très rapidement sinon tu exploseras en même temps que le bloc de TNT !

LE PATRON DU BLOC DE TNT

Tu peux fabriquer un bloc de TNT à partir de 5 poudres à canon (lâchées par les creepers à leur mort) et 4 blocs de sable.

TNT : un moyen efficace de détruire une base ennemie

L'ARMURE

Les guerriers Minecraft ont besoin d'une armure pour se protéger des coups, en particulier lorsqu'ils combattent d'autres joueurs. Une armure complète est constituée d'un casque, d'un plastron, d'un pantalon et de bottes.

Tu peux fabriquer une armure à partir de cuir, d'or, de fer ou de diamant.

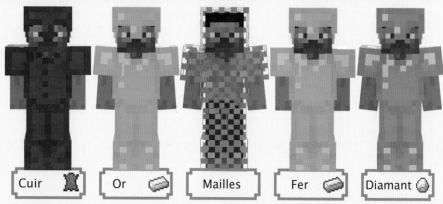

Cuir	Or	Mailles	Fer	Diamant

L'armure en cotte de mailles peut apparaître lors d'un échange avec un villageois ou lorsqu'un monstre meurt. Ces matériaux offrent différents degrés de protection.

LE PATRON DU CASQUE

Fabrique un casque avec 5 éléments du matériau choisi.

LE PATRON DU PLASTRON

Un plastron peut être fabriqué à partir de 8 éléments.

LE PATRON DU PANTALON

Un pantalon peut être fabriqué à partir de 7 éléments.

LE PATRON DES BOTTES

Fabrique une paire de bottes à partir de 4 éléments.

L'armure en cotte de mailles ne peut pas être fabriquée mais tu peux l'acquérir grâce au troc avec les villageois ou si un monstre la relâche en mourant. L'armure en cuir, or, fer ou diamant peut aussi être relâchée par les monstres.

Une fois ton armure fabriquée, place chaque pièce dans l'emplacement d'armure correspondant de ton inventaire, et elle apparaîtra sur ton corps.

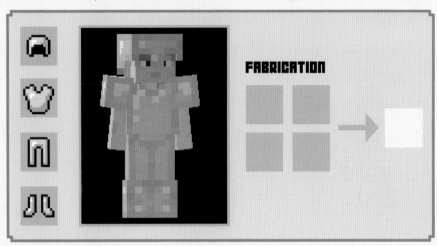

FABRICATION

LA PROTECTION

L'armure va te protéger des types de dégâts suivants :

	attaques de monstres		flèches		explosions
	attaques de joueurs		feu et lave		cactus
	foudre		recevoir une enclume sur la tête		coups d'œufs de poules

L'armure ne te protégera pas des types de dégâts suivants, mais ceux-ci ne feront pas non plus descendre la durée de vie de ton armure :

	tomber dans le « Vide »		dégâts continus du feu		suffoquer dans un bloc
	se noyer dans l'eau		poison		potion de dégâts
	famine		recevoir des boules de neige		effets blessants des potions

L'ARMURE ... (SUITE)

LES POINTS DE DÉFENSE

Dès que tu as revêtu l'armure que tu as dans ton inventaire, une barre d'armure apparaît au-dessus de ton inventaire rapide. Elle possède 10 plastrons.

Chaque plastron vaut 2 points de défense et représente 8 % de protection. Donc, la protection maximale que tu peux avoir avec une armure est à 80 % – malheureusement tu ne seras jamais complètement invincible en mode Survie.

Plus ton armure possède de points de défense, plus elle va absorber de dégâts durant sa vie. Par exemple, une armure en diamant complète te protégera à 80 % des dégâts alors qu'une en fer te protégera seulement à 60 % et une en cuir à seulement 28 %.

VALEURS EN POINTS DE DÉFENSE

TYPE	ARMURE COMPLÈTE	CASQUE	PLASTRON	PANTALON	BOTTES
Cuir	🛡🛡🛡	🛡	🛡🛡	🛡	🛡
Or	🛡🛡🛡🛡🛡	🛡	🛡🛡🛡	🛡🛡	🛡
Mailles	🛡🛡🛡🛡🛡	🛡	🛡🛡🛡	🛡🛡	🛡
Fer	🛡🛡🛡🛡🛡🛡	🛡	🛡🛡🛡	🛡🛡🛡	🛡
Diamant	🛡🛡🛡🛡🛡🛡🛡🛡	🛡🛡	🛡🛡🛡🛡	🛡🛡🛡	🛡🛡

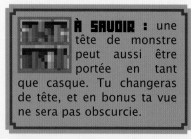

À SAVOIR : une tête de monstre peut aussi être portée en tant que casque. Tu changeras de tête, et en bonus ta vue ne sera pas obscurcie.

LE PORTE-ARMURE

Tu peux accrocher ton armure sur un porte-armure quand tu n'en as pas besoin. Cela te fera économiser pas mal de place dans ton inventaire et te donnera une intéressante décoration pour ta maison. Une fois fabriqué, interagis simplement avec le porte-armure tout en tenant à la main la pièce d'armure que tu veux y accrocher.

LE PATRON DU PORTE-ARMURE

Il est fabriqué avec 6 bâtons et une dalle de pierre.

 Tu peux teindre une armure en cuir en la combinant avec un colorant de ton choix. Place juste la pièce d'armure et le colorant de ton choix dans ta zone de fabrication pour combiner les deux.

 ASTUCE : c'est une bonne idée de garder un jeu d'armure dans ton inventaire, en particulier si tu joues en mode PVP. De cette manière, si ton armure actuelle est détruite pendant la bataille, tu pourras rapidement la remplacer et repartir au combat.

LES MONSTRES

Combattre des monstres hostiles est la meilleure manière d'engranger des munitions et de l'équipement pour de futurs combats. Commençons avec les monstres du monde normal avant de nous aventurer dans les méandres du Nether et de l'Ender.

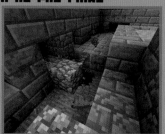

SILVERFISH

POINTS DE VIE : 8 ♥♥♥♥

DÉGÂTS OFFENSIFS : 1 ♥

MÉTHODE D'ATTAQUE : il te fonce ou te saute dessus. Il t'inflige des dégâts en te touchant et en te poussant dans tous les sens. Quand un silverfish est attaqué, plusieurs autres peuvent se réveiller aux alentours et tu peux vite être submergé.

APPARITION : à partir d'œufs ou de générateurs de monstres dans les bastions. Rarement, en profondeur dans les biomes «Collines extrêmes» lorsqu'un bloc hébergeant un silverfish est miné.

VULNÉRABLE À :   lave, gravier.

À FAIRE

Construis une colonne de deux blocs de haut pour pouvoir l'attaquer par-dessus.

À NE PAS FAIRE

Utiliser des potions volatiles. Cela va réveiller de nombreux autres silverfishs.

ARAIGNÉE

POINTS DE VIE : 16 ♡♡♡♡♡♡♡♡

DÉGÂTS OFFENSIFS : 2-3♡ - ♡❤

MÉTHODE D'ATTAQUE : elle te frappe jusqu'à ta mort. Elle n'est hostile que quand la lumière naturelle est faible. Une fois provoquée elle reste hostile, même en plein jour.

APPARITION : monde normal, luminosité inférieure ou égale à 7.

VULNÉRABLE À :

lave, cactus, TNT, feu, chute.

RÉCOMPENSES :

0-2 ficelles, qui peuvent être utilisées pour faire un arc.
0-1 œil d'araignée qui peut être utilisé pour des potions.

À FAIRE

Essaye de te placer plus haut que l'araignée. Cela te permettra de l'attaquer en chaîne tout en l'empêchant de monter à ton niveau.

NE PAS FAIRE

Laisser l'araignée prendre de la hauteur. Cela lui donnera une occasion parfaite pour te tomber dessus.

ARAIGNÉE BLEUE

POINTS DE VIE : 12 ♡♡♡♡♡♡

DÉGÂTS OFFENSIFS : 1 ♥

MÉTHODE DE COMBAT : te saute dessus et te mord, en t'empoisonnant avec son venin.

APPARITION : à partir des générateurs de monstres, dans les mines abandonnées.

VULNÉRABLE À :

lave, cactus, TNT, feu, chute.

RÉCOMPENSES :

0 à 2 ficelles qui peuvent être utilisées pour faire un arc.
0 à 1 œil d'araignée qui peut être utilisé dans les potions.

À FAIRE

Fonce droit vers la source du problème : trouve le générateur d'araignées bleues et désactive-le avec de la lave.

À NE PAS FAIRE

À la différence des araignées classiques, les araignées bleues passent dans les trous d'un bloc de large et d'un demi-bloc de haut.

SLIME

POINTS DE VIE : gros : 16 ♥♥♥♥♥♥♥♥ moyen : 4 ♥♥ petit : 1 ♥

DÉGÂTS OFFENSIFS : gros : 4 ♥♥ moyen : 2 ♥ petit : 0

MÉTHODE D'ATTAQUE : il sautille vers toi pour te rentrer dedans et t'inflige des dégâts jusqu'à ce que mort s'ensuive.

APPARITION : en dessous du niveau 40 et toute luminosité. Dans les biomes marais (niveaux 50 à 70), avec une luminosité d'au plus 7.

VULNÉRABLE À :

lave, cactus, TNT, feu, chute.

RÉCOMPENSES : ◯ les petits slimes relâchent jusqu'à 2 boules de slimes pouvant être utilisées pour fabriquer de la crème de magma et des potions.

À FAIRE

Entraîne-les dans l'eau. Les slimes ne savent pas nager et se noieront. Ils brûlent aussi dans la lave ; essaye donc alors de les pousser dedans.

À NE PAS FAIRE

Ne te fais surtout pas encercler par les slimes dans une grotte. Ils te feront assez de dégâts pour que tu n'en ressortes pas vivant.

CREEPER

POINTS DE VIE : 20 ♥♥♥♥♥♥♥♥♥♥

DÉGÂTS OFFENSIFS : 49 (normal) ♥✖24.5
et 97 (chargé) ♥✖48.5

MÉTHODE D'ATTAQUE : il court vers toi
et t'explose à la figure.

APPARITION : dans le monde normal, dans
les zones ayant une luminosité de 7 ou moins,
mais pas sur des blocs transparents comme
le verre. Ils ne meurent pas au lever du soleil.

VULNÉRABLE À :

lave, cactus, TNT, feu, chute, épée en diamant, arc et flèches.

ALLIÉS POTENTIELS : chat, ocelot.

les ocelots et les chats ne feraient pas de mal à une mouche,
mais ils font déguerpir les creepers.

RÉCOMPENSES : 🔵 les creepers relâchent jusqu'à 2 poudres
à canon pouvant être utilisées pour fabriquer des blocs de TNT et
des boules de feu.

À FAIRE

Garde une distance de
sécurité entre toi et le creeper,
pour échapper à l'explosion.
Attaque-le avec un arc puis
avec une arme de mêlée.

À NE PAS FAIRE

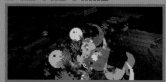

Être trop près, en particulier
si tu entends un «pschhht».
Essaye d'éviter le combat
rapproché, ou tu pourrais
bien finir en morceaux.

SQUELETTE

POINTS DE VIE : 20 ♡♡♡♡♡♡♡♡♡♡

DÉGÂTS OFFENSIFS : 1-5 ♥ – ♡♡♥

MÉTHODE D'ATTAQUE : il te tirera dessus avec son arc.

APPARITION : dans les zones du monde normal de luminosité 7 ou plus faible, mais pas sur des blocs transparents comme le verre ou les demi-dalles.

VULNÉRABLE À :

lave, cactus, TNT, feu, lumière du jour, potion volatile de soin.

RÉCOMPENSES : jusqu'à 2 flèches, leur arc (rarement, et potentiellement enchanté), une armure (rarement, et si équipé, potentiellement enchantée).

À FAIRE

Utilise la même arme que lui : attaque-le de loin avec un arc.

À NE PAS FAIRE

Ne le laisse pas ramasser un couvre-chef. S'il s'empare d'un casque ou d'une citrouille, il sera insensible au soleil.

ZOMBIE

POINTS DE VIE : 20 ♡♡♡♡♡♡♡♡♡♡

DÉGÂTS OFFENSIFS : 2-4 ♡ – ♡♡

MÉTHODE D'ATTAQUE : il vient tranquillement vers toi pour te toucher et t'infliger des dégâts jusqu'à ta mort.

APPARITION : dans les zones du monde normal de luminosité 7 ou plus faible, mais pas sur des blocs transparents comme le verre.

VULNÉRABLE À :

lave, cactus, TNT, feu, chute, lumière du jour, potion volatile de soin.

RÉCOMPENSES :

épée en fer et armure (rarement, s'il en porte une), qui peuvent être utiles si tu manques de matériel.

À FAIRE

Essaye de les attirer à la lumière s'ils se cachent dans l'ombre quand le jour se lève. Ils ne feront pas long feu !

À NE PAS FAIRE

Se faire coincer dans un long couloir. Et ne laisse pas un zombie ramasser un couvre-chef, car il deviendra insensible au soleil.

ZOMBIE-VILLAGEOIS

5 % des zombies seront des zombies-villageois. Tu peux les distinguer des zombies normaux grâce à leur visage et à leur long nez caractéristiques des villageois. Ils peuvent apparaître quand un zombie attaque un villageois.

 À SAVOIR : un zombie-villageois peut être guéri en lui jetant une potion volatile de faiblesse et en lui faisant manger une pomme d'or.

BÉBÉ ZOMBIE

Un autre 5 % des zombies naturels seront des bébés zombies. Ils apparaissent quand un zombie tue un bébé villageois. Bien que tout petits, ils sont bien plus rapides que les zombies normaux et peuvent passer par les trous d'un bloc de large. Ils ne prennent pas feu au soleil, peuvent infliger autant de dégâts et ont le même nombre de points de vie que les zombies normaux. Donc, pour résumer, ils sont beaucoup plus coriaces.

Et, pour couronner le tout, ils peuvent aussi apparaître avec une armure et ils peuvent chevaucher les poulets. Mince alors !

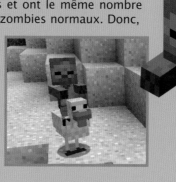

SORCIÈRE

POINTS DE VIE : 26 ♡♡♡♡♡♡♡♡ ♡♡♡♡♡

MÉTHODE D'ATTAQUE : elle te jette des potions volatiles remplies de poison, de liquide affaiblissant, de ralentissement et de dégâts.

APPARITION : dans des zones peu éclairées et souvent dans des cabanes de sorcière.

VULNÉRABLE À : 🧪🧪🗡 potions volatiles de poison et de dégâts instantanés (mais elles sont immunisées contre celles-ci à 85%), flèches.

RÉCOMPENSES : ⬥ 👁 🧪 jusqu'à 6 poudres à canon servant à fabriquer des blocs de TNT, jusqu'à 6 yeux d'araignée servant à fabriquer des potions ou même des potions entières (rarement).

À FAIRE

Utilise ton arc contre une sorcière, car la portée de tes flèches est plus grande que celle des potions volatiles.

À NE PAS FAIRE

Mettre le feu à une sorcière, car elle boira une potion de résistance au feu.

ENDERMAN

POINTS DE VIE : 40 ♥♥♥♥♥♥♥♥♥♥
♥♥♥♥♥♥♥♥♥♥

DÉGÂTS OFFENSIFS : 4-10 ♥♥ – ♥♥♥♥♥

MÉTHODE D'ATTAQUE : il se téléporte vers toi pour te frapper jusqu'à la mort.

APPARITION : dans les zones du monde normal de luminosité 7 ou moins et dans l'Ender.

VULNÉRABLE À :

lave, cactus, TNT, feu, chute, eau.

RÉCOMPENSES :  peut donner une perle de l'Ender (nécessaire pour aller dans l'Ender).

À FAIRE

Cours vers le point d'eau ou de lave le plus proche puis place-toi le dos contre un mur pour l'empêcher de se téléporter derrière toi. Si l'enderman est blessé par de la lave ou de l'eau, il sera neutre à ton égard.

À NE PAS FAIRE

Ne surtout pas le regarder directement, ni son corps ni ses yeux. Il prendra cela comme un signe d'hostilité.

GARDIEN

POINTS DE VIE : 30 ♡♡♡♡♡♡♡♡♡♡♡♡♡♡♡

DÉGÂTS OFFENSIFS : 4-9 ♡♡ - ♡♡♡♡◗

MÉTHODE DE COMBAT : il va te tirer dessus avec des rayons laser et te piquer avec les épines sur son corps, ce qui t'infligera une petite quantité de dégâts.

APPARITION : sous l'eau, dans les monuments des océans.

VULNÉRABLE AUX

armes.

RÉCOMPENSES :

poisson cru, cristaux de prismarin, fragments de prismarin.

À FAIRE

Essaye d'utiliser une canne à pêche pour tirer le gardien hors de l'eau, puis frappe-le de manière répétée avec une épée jusqu'à ce qu'il meure.

À NE PAS FAIRE

Inutile d'utiliser les méthodes de combat rapproché classiques, car l'eau va ralentir tes mouvements et le gardien aura l'avantage.

ANCIEN GARDIEN

POINTS DE VIE : 80 ♥ ✕40

DÉGÂTS OFFENSIFS : 5-12 ♥♥♥ – ♥♥♥♥♥♥

MÉTHODE DE COMBAT : il inflige l'effet Fatigue III sur les joueurs proches de lui afin de protéger le trésor du monument. Il tire aussi un rayon laser comme les gardiens.

APPARITION : sous l'eau, dans les monuments des océans.

VULNÉRABLE AUX 🗡

armes.

RÉCOMPENSES :

poisson cru, éponge mouillée, cristaux de prismarin, fragments de prismarin.

À FAIRE

Enchante ton équipement en diamant avec les effets « Apnée » et « Marche en profondeur » pour miner de manière rapide et sécurisée dans le monument.

À NE PAS FAIRE

Ne te rapproche pas trop d'un ancien gardien, si tu arrives à le coincer, il te blessera avec les épines sur son corps.

ENDERMITE

POINTS DE VIE : 8 ♡♡♡♡

DÉGÂTS OFFENSIFS : 2 ♡

MÉTHODE DE COMBAT : elle va courir, te sauter dessus et t'infliger des dégâts en te touchant et en te poussant dans tous les sens. Quand une endermite est attaquée, d'autres peuvent apparaître à proximité et tu vas te retrouver submergé.

APPARITION : occasionnellement quand les endermen se téléportent ou quand un joueur lance une perle du Néant.

VULNÉRABLE À :

noyade dans l'eau, suffocation en s'enfonçant dans le sable des âmes.

À FAIRE

Construis-toi une colonne de 2 blocs de haut, monte dessus et tu pourras attaquer les endermites en sécurité.

À NE PAS FAIRE

Te laisser submerger. Les endermites sont beaucoup plus difficiles à éliminer quand elles sont nombreuses.

LES MONSTRES UTILES

Tu as du mal à défendre tes terres contre les monstres hostiles? Il existe deux créatures que tu peux fabriquer toi-même. Ce sont des créatures utiles et elles seront plus qu'enchantées de venir t'aider.

GOLEM DE FER

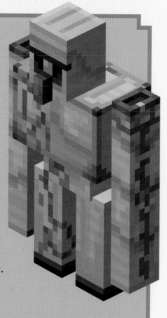

POINTS DE VIE : 100 ♥ ✕50

DÉGÂTS OFFENSIFS : 7 – 21

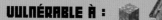

MÉTHODE DE COMBAT : les golems de fer balancent leurs bras tout autour, blessant les ennemis et les envoyant valser vers leur mort en un ou deux coups.

APPARITION : quand le joueur le crée ou bien près des groupes d'au moins 10 villageois et 21 maisons, avec n'importe quelle luminosité.

VULNÉRABLE À :

lave, chute, noyade.

RÉCOMPENSES : ⚔ 3-5 lingots de fer, 0-2 coquelicots

COMMENT LE FAIRE : place 4 blocs solides de fer (fabriqués avec 9 lingots de fer) en forme de T, avec une citrouille ou une lanterne au sommet.

GOLEM DE NEIGE

POINTS DE VIE : 4 ♥♥

DÉGÂTS OFFENSIFS : il va lancer des boules de neige sur les monstres ennemis. Ils ne blessent que les blazes et le dragon de l'Ender mais ils pourront tenir les monstres éloignés en les repoussant avec leurs boules.

APPARITION : créé par le joueur.

VULNÉRABLE À :

lave, eau.

RÉCOMPENSES :

0 – 15 boules de neige pouvant être utilisées comme armes contre les blazes ou le dragon de l'Ender.

COMMENT LE FAIRE : empile 2 blocs de neige verticalement, et place une citrouille ou une lanterne au sommet.

ANIMAUX À DOMPTER

Aimerais-tu avoir un fidèle compagnon qui te suit partout et éloigne les monstres hostiles? Il existe deux animaux de la sorte que tu peux apprivoiser.

LOUP

Les loups peuvent être apprivoisés avec des os; ils agissent alors comme des chiens, te suivant partout et attaquant les ennemis hostiles.

VULNÉRABLE À :

lave, cactus, feu, chute, noyade, suffocation.

OCELOT

Les ocelots, que l'on trouve dans les jungles, peuvent être apprivoisés avec du poisson. Une fois que c'est fait, ils vont se transformer en une des trois races de chat et ils effrayeront les creepers. Ils sont même immunisés contre les dégâts dus aux chutes.

VULNÉRABLE À :

lave, cactus, feu, noyade, suffocation.

COMBAT DANS LE NETHER

Le Nether est un monde infernal auquel tu peux accéder en construisant un portail du Nether dans le monde normal. Cela vaut le voyage sachant que tu peux y trouver beaucoup d'objets très utiles et introuvables ailleurs.

Tu auras besoin d'au moins 10 blocs d'obsidienne pour construire un portail du Nether. Une fois construit, allume-le avec un briquet ou une boule de feu, puis saute dedans !

PORTAIL DU NETHER

Un portail du Nether complet peut être fabriqué avec 14 blocs d'obsidienne. Si tu n'en as pas assez, économise 4 blocs en ne faisant pas les coins. Cela marche aussi !

Avant d'entrer dans le Nether, prends avec toi :

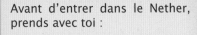 une armure enchantée

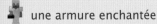 des armes enchantées

 plusieurs piles de blocs de pierre pour te faire des chemins sécurisés et protéger ton portail du Nether.

un briquet (tu en auras besoin pour rallumer ton portail en cas de destruction de celui-ci)

torches et nourriture.

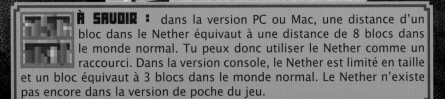

À SAVOIR : dans la version PC ou Mac, une distance d'un bloc dans le Nether équivaut à une distance de 8 blocs dans le monde normal. Tu peux donc utiliser le Nether comme un raccourci. Dans la version console, le Nether est limité en taille et un bloc équivaut à 3 blocs dans le monde normal. Le Nether n'existe pas encore dans la version de poche du jeu.

GHAST

POINTS DE VIE : 10 ♡♡♡♡♡

DÉGÂTS OFFENSIFS : 9-25
♡♡♡♡♡ - ♡♡♡♡♡♡♡♡♡♡♡♡♡

MÉTHODE D'ATTAQUE : il tire des boules de feu avec sa bouche.

APPARITION : dans le Nether, dans un espace d'au moins 5 x 4 x 5 blocs.

VULNÉRABLE À :

sa propre arme. Renvoie-lui ses boules de feu en les frappant avec ton épée.

RÉCOMPENSES :

jusqu'à 2 poudres à canon pour fabriquer des blocs de TNT, parfois une larme de ghast (nécessaire pour faire certaines potions).

À FAIRE

Essaye d'accrocher un ghast avec ta canne à pêche pour l'amener vers toi et le tuer plus facilement avec ton épée.

À NE PAS FAIRE

Ne sous-estime pas la portée des boules de feu tirées par les ghasts. Tu seras surpris par leur portée.

CUBE DE MAGMA

POINTS DE VIE : gros : 16 ♡♡♡♡♡♡♡♡ moyen : 4 ♡♡
petit : 1 ◖

DÉGÂTS OFFENSIFS : gros : 6 ♡♡♡ moyen : 4 ♡♡ petit : 3 ♡◖

MÉTHODE D'ATTAQUE : il sautille vers toi pour te pousser et t'infliger des dégâts jusqu'à ta mort.

APPARITION : dans le Nether.

VULNÉRABLE À : 🗡

armes durables.

RÉCOMPENSES : ⬤ les gros et moyens cubes de magma lâchent parfois une crème de magma, utilisée dans des potions.

À FAIRE

Essaye de les frapper lorsqu'ils sont dans les airs. De cette manière tu pourras peut-être réussir à les repousser.

À NE PAS FAIRE

Laisser un cube de magma sauter sur toi. Tu seras très surpris par le bon incroyable qu'il peut faire et par les dégâts qu'il va te causer.

BLAZE

POINTS DE VIE : 20 ♡♡♡♡♡♡♡♡♡♡

DÉGÂTS OFFENSIFS : 4–9 ♡♡ – ♡♡♡♡♥

MÉTHODE D'ATTAQUE : il lance des boules de feu sur toi ou s'enflamme près de toi.

APPARITION : dans les forteresses du Nether.

VULNÉRABLE À :

boules de neige, eau.

RÉCOMPENSES :

0–1 bâton de blaze, utilisé dans des potions.

À FAIRE

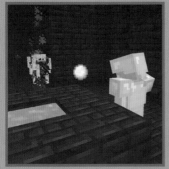

Bois une potion de résistance au feu pour te protéger de ses attaques, qui impliquent toutes du feu. Une fois face à un blaze, utilise des boules de neige pour l'affaiblir avant de l'achever à l'épée.

À NE PAS FAIRE

Essayer d'en venir à bout avec une simple épée. Les blazes te tueront rapidement si tu tentes de les attaquer au corps à corps.

WITHER SQUELETTE

POINTS DE VIE : 20 ♡♡♡♡♡♡♡♡♡♡

DÉGÂTS OFFENSIFS : 4–10 ♦♦ - ♦♦♦♦♦

MÉTHODE D'ATTAQUE : il te frappe avec son épée, ce qui t'inflige la malédiction du Wither pendant 10 secondes. Tu la ressens en t'affaiblissant au cours du temps et avec ta barre de vie qui devient noire.

APPARITION : près des forteresses du Nether, dans des zones de luminosité de 7 ou moins.

VULNÉRABLE À :

épée en diamant enchantée avec les effets «Tranchant», «Châtiment» ou «Butin».

RÉCOMPENSES :

épée en pierre (rarement), crâne de Wither squelette (rarement aussi).

À FAIRE

Essaye de te placer dans un trou de 2 blocs de haut, pour que le Wither squelette ne puisse pas te suivre. De cette manière tu peux attaquer puis reculer pour éviter la riposte.

À NE PAS FAIRE

Trop te rapprocher. Les Wither squelettes attendent de t'avoir à leur portée pour t'attaquer.

COCHON ZOMBIE

POINTS DE VIE : 20 ♡♡♡♡♡♡♡♡♡♡

DÉGÂTS OFFENSIFS: 5-13
♡♡♧-♡♡♡♡♡♡♡

MÉTHODE D'ATTAQUE : un cochon zombie n'attaque qu'une fois provoqué. Il te frappe alors avec son épée, en t'infligeant des dégâts jusqu'à ta mort.

APPARITION : n'importe quel emplacement de 2 blocs de haut, dans le Nether.

VULNÉRABLE À :

arc et flèches enchantés, armes durables.

RÉCOMPENSES :

épée en or (rarement, peut être enchantée), pépites d'or (rarement) qui peuvent être utilisées pour faire des armes ou des armures en or.

À FAIRE

Attaque-les à distance, avec un arc enchanté, et essaye de les abattre un par un.

À NE PAS FAIRE

En attaquer un si de nombreux autres sont dans la zone. Ils t'attaqueront tous et tu seras vite débordé.

WITHER

Le Wither est un boss, comme l'Enderdragon (voir p. 44 à 47). Il est fabriqué par le joueur à partir de 4 blocs de sable des âmes placés en forme de T, avec 3 crânes de Wither squelettes au sommet. Le dernier bloc placé doit être un crâne, sinon le Wither n'apparaîtra pas.

POINTS DE VIE : 300 ♥ ✕150

DÉGÂTS OFFENSIFS : 5-12 ♥♥❶ – ♥♥♥♥♥♥

MÉTHODE D'ATTAQUE : il lance des crânes de Wither infligeant une malédiction du Wither, un poison qui peut tuer par simple contact.

APPARITION : dans le monde normal, quand un joueur le crée.

VULNÉRABLE À : potions, armes durables.

ARMES À PRENDRE : une épée enchantée combinée avec un arc enchanté et des potions volatiles.

ALLIÉS POTENTIELS : les golems de neige attaqueront le Wither et le distrairont. Pour en fabriquer un, place simplement une citrouille sur deux blocs de neige empilés.

RÉCOMPENSES : une étoile du Nether, qui peut être utilisée pour faire une balise (un bloc qui est à la fois une importante source de lumière et une source de pouvoir pour les joueurs). Si elle est placée sur une pyramide de blocs précieux, elle donnera certains avantages aux joueurs autour d'elle (dans un certain rayon).

STRATÉGIE : préparation, préparation, préparation ! Ne pense même pas à faire apparaître un Wither si tu ne portes pas au moins une très bonne armure et des armes appropriées.

Essaye de faire apparaître le Wither dans une zone confinée, en sous-sol et loin de tes précieux objets.

Oublier tes potions de force et de soin instantané : tu vas en avoir grand besoin !

ATTEINDRE L'ENDER

L'Ender est un terrifiant pan de terre au milieu d'un espace étoilé appelé le «Vide». C'est un monde presque complètement stérile, mais il est habité par les endermen et le terrible Enderdragon.

Si tu bats l'Enderdragon tu seras récompensé et ça vaut le coup. Quand tu seras dans l'Ender, tu pourras miner de la pierre blanche, qui résiste très bien aux explosions. Pour aller dans l'Ender, tu auras besoin d'un portail de l'Ender qui se trouve dans une chambre de bastion. Pour trouver le bastion le plus proche, tu auras besoin de plusieurs yeux du Néant, puis de 12 autres pour activer le portail.

LE PATRON D'UN ŒIL DU NÉANT

Fabrique un œil du Néant à partir d'une perle de l'Ender et de poudre de blaze (faite à partir d'un bâton de blaze lâché par un blaze dans le Nether).

1

Utilise ton œil du Néant et il s'envolera puis retombera au sol. Suis-le, ramasse-le et recommence. Il a 1 chance sur 5 de disparaître en retombant, c'est pourquoi tu en as besoin de plusieurs.

2

Au bout d'un moment l'œil retombera toujours au même endroit. C'est là que tu trouveras le bastion, et tu devras creuser pour rentrer dedans. N'oublie pas la règle numéro 1 de Minecraft : ne creuse jamais sous tes pieds ou tu risques de tomber dans la lave du portail que tu cherches !

Une fois dans le bastion, trouve le portail – une piscine de lave entourée de blocs constituant le portail de l'Ender. Chacun des 12 blocs doit être activé avec un œil du Néant pour le faire fonctionner.

Quand le portail est activé, saute au centre et tu te retrouveras dans l'Ender. Bonne chance!

L'ENDERDRAGON

Une fois dans l'Ender, prépare-toi à une aventure périlleuse et à un combat intense. L'Enderdragon est féroce et agressif, et il n'y a nulle part où se cacher...

Il fait très sombre dans l'Ender, donc il est possible que tu ne vois pas le dragon tout de suite. Mais ne t'en fais pas – son effrayant grondement et ses perçants yeux violets te signaleront sa position bien assez tôt. De plus, il bondira sur toi dès qu'il t'aura repéré.

STATISTIQUES DE L'ENDERDRAGON

POINTS DE VIE : 200 ♥ ✕ 100

DÉGÂTS OFFENSIFS : 6–15 ♥♥♥ – ♥♥♥♥♥♥♥♥

MÉTHODE D'ATTAQUE : il plonge sur toi et te frappe jusqu'à la mort.

APPARITION : dans l'Ender.

VULNÉRABLE À : pas grand-chose. L'Enderdragon est insensible à la lave, au feu, à l'eau et aux enchantements. Il ne peut être blessé qu'avec une épée ou des flèches.

RÉCOMPENSES : TOP SECRET

ASTUCE : une armure en diamant te pro-tégera bien des endermen et du dragon. Une citrouille sur la tête empêchera les endermen de t'attaquer si tu les regardes.

ATTENTION : une fois dans l'Ender, impossible de t'échap-per, sauf si tu parviens à battre l'Enderdragon.

L'ENDERDRAGON
... (SUITE)

Avant même de penser à attaquer l'Enderdragon, tu devras détruire les cristaux de l'Ender reposant au sommet de piliers en obsidienne. Ceux-ci guérissent le dragon.

Détruis-les avec des flèches, des boules de neige ou des œufs. Si tu n'en as pas, grimpe avec des échelles en haut des piliers.

Vient maintenant la partie difficile : battre l'Enderdragon. Essaye de lui tirer dessus avec des flèches et garde un œil sur sa barre de vie pour vérifier les dégâts qu'il te reste à lui faire. **Que se passe-t-il si tu y parviens ? Tu verras bien, nous n'allons pas te révéler ici le secret ultime du jeu !**

ASTUCE : tu peux utiliser un lit comme une arme dans l'Ender. Place-le par terre, devant toi, et quand le dragon s'approche assez, fais comme si tu allais dormir puis file très vite. Le lit explosera à la figure du dragon en lui faisant baisser sa vie.

L'ENCHANTEMENT

Les armes et les armures peuvent être enchantées, afin d'améliorer leur puissance et leur performance et te donner un réel avantage sur tes adversaires. Il y a plusieurs manières d'enchanter des objets.

UTILISER UNE TABLE D'ENCHANTEMENT

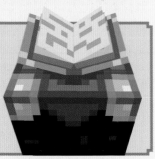

Une table d'enchantement est fabriquée à partir de 4 blocs d'obsidienne, de 2 diamants et d'un livre. Fabrique un livre avec une pièce de cuir (souvent lâchée par une vache tuée) et 3 feuilles de papier (faites avec 3 cannes à sucre). Tu n'auras pas besoin du cuir sur les versions console et de poche.

LE PATRON DU PAPIER

LE PATRON DU LIVRE

LE PATRON DE LA TABLE D'ENCHANTEMENT

Accède à ta table d'enchantement, puis place l'objet à enchanter dans la case vide. Choisis une des trois options qui apparaissent à droite. Celles-ci sont écrites dans l'alphabet galactique standard, donc tu ne sauras pas l'enchantement choisi jusqu'à ce que celui-ci soit appliqué à l'objet. Les nombres à droite te diront combien de niveaux d'expérience tu devras payer pour cet enchantement.

L'ENCHANTEMENT
... (SUITE)

COMBINER DES OBJETS AVEC UNE ENCLUME

L'enclume sert à combiner les enchantements de 2 objets. Le second objet perd son enchantement pour réparer le premier. Les objets doivent être les mêmes : par exemple 2 épées en diamant. Place l'objet à réparer dans le premier emplacement de l'enclume et l'autre objet dans le deuxième. L'objet réparé apparaîtra alors dans l'emplacement de sortie. Cela te coûtera également des points d'expérience.

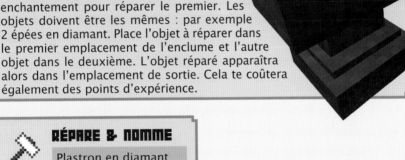

RÉPARE & NOMME

Plastron en diamant

Coût d'enchantement : 7

 ASTUCE : rappelle-toi, tu peux renommer ton objet quand il est sur l'enclume. Pour le faire, réécris juste le texte dans l'emplacement où le nom est écrit.

COMBINER AVEC UN LIVRE D'ENCHANTEMENT

Tu peux trouver des livres enchantés dans les coffres des forts, des donjons, des temples de la jungle ou du désert, des mines abandonnées et des villages. Tu peux aussi en acheter à un libraire PNJ (Personnage Non Joueur) avec des émeraudes ou les fabriquer sur une table d'enchantement. Pour enchanter un objet, mets le livre dans l'emplacement sacrificiel de ton enclume et pose l'objet que tu veux enchanter.

RÉPARE & NOMME

Épée en diamant

Coût d'enchantement : 7

L'ENCHANTEMENT ... (SUITE)

TROC AVEC UN VILLAGEOIS

Certains villageois vont t'échanger des objets enchantés contre un certain nombre d'émeraudes. Les objets qu'ils peuvent enchanter incluent les épées en fer ou en diamant, les haches, les pioches, les cannes à pêche et les plastrons.

Vadrouille dans le monde jusqu'à tomber sur un village – il ressemblera à celui sur cette page. Tu vas vite repérer des villageois se baladant aux alentours. Ceux qui échangeront des objets enchantés sont les pêcheurs en robe marron, l'armurier en tablier noir, les forgerons d'armes et d'outils en tabliers noirs et le tanneur en tablier blanc. Interagis juste avec un villageois et sa profession va apparaître en haut de la fenêtre de troc.

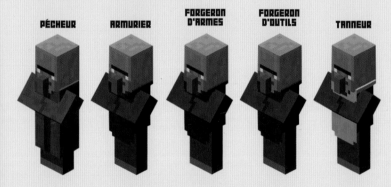

| PÊCHEUR | ARMURIER | FORGERON D'ARMES | FORGERON D'OUTILS | TANNEUR |

Tu devras faire quelques échanges avec un villageois avant qu'il ne te propose des objets enchantés. Quand un de ceux-ci apparaît, place le nombre demandé d'émeraudes dans l'emplacement de troc du villageois et l'objet enchanté apparaîtra dans l'emplacement de sortie.

Garde juste en tête que tu ne pourras pas choisir l'enchantement toi-même – le villageois te fera savoir quelles sont les options possibles.

FORGERON D'ARMES

12

Clique sur les flèches pour parcourir
les différentes propositions de troc.

EMPLACEMENTS D'ÉCHANGE   RÉSULTAT

À SAVOIR : recevoir
un objet enchanté de la
part d'un villageois ne
te coûtera aucun point
d'expérience. Génial !

LES POTIONS

Les potions sont des boissons pouvant avoir un effet positif ou négatif sur le joueur. Quand elles sont utilisées correctement, les potions peuvent vraiment te donner l'avantage en combat, prends donc un peu de temps pour en apprendre les bases.

LE PATRON DE L'ALAMBIC

Tout d'abord, fabrique un alambic avec un bâton de blaze et de la pierre. Cela peut être difficile, car les bâtons ne se trouvent que sur des blazes (monstres trouvés près des forteresses du Nether). Arf! Va voir les p. 34 à 39 pour apprendre à survivre dans le Nether.

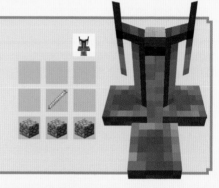

LE PATRON DU CHAUDRON

Ensuite, tu devras te fabriquer un chaudron à partir de 7 lingots de fer.

LE PATRON DU SEAU

Fabrique un seau, remplis-le d'eau et utilise-le pour remplir ton chaudron.

LE PATRON DE LA FIOLE EN VERRE

Fabrique des fioles en verre à partir de blocs de verre. 3 blocs de verre te donneront 3 fioles.

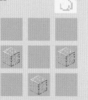

 ASTUCE : si tu veux te mettre sérieusement à la fabrication de potions, crée-toi un laboratoire performant, comme celui-ci. Trouve un emplacement adéquat dans ta maison, ta base ou ton fort puis remplis-le de tous les ingrédients et de tout l'équipement nécessaires.

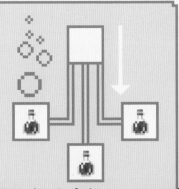

Remplis 3 fioles en verre avec de l'eau du chaudron et places-en une dans chaque emplacement de ton alambic.

FORMULE DE LA POTION ÉTRANGE

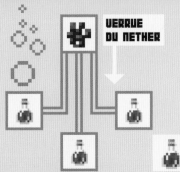

VERRUE DU NETHER

Trois fioles de potion étrange peuvent être faites en ajoutant une verrue du Nether au sommet de ton alambic. On la trouve près de certains escaliers des forteresses du Nether. Cette potion n'a aucun effet, mais elle peut être combinée à d'autres pour créer des potions utiles. Étrange, non ?

À SAVOIR : la potion étrange est à la base de toutes les potions à effet positif. Assure-toi d'avoir toujours de la verrue du Nether à disposition pour pouvoir préparer une nouvelle série de potions à tout instant.

LES POTIONS DE SOUTIEN

Les potions de soutien ont un effet positif quand elles sont utilisées. Elles aident le joueur et ses alliés. Une fois fabriquée, tu peux sélectionner une potion dans ta barre d'inventaire rapide et faire un clic droit pour la boire. Tu auras besoin de ces 4 ingrédients principaux :

 poudre de blaze : provient d'un bâton de blaze, lâché par les blazes dans le Nether.

 crème de magma : vient du magma du Nether ou d'un mélange poudre du blaze et boule de slime.

 larme de ghast : lâchée par les ghasts lors de leur mort.

 sucre : fabriqué à partir de canne à sucre.

LA POTION DE FORCE

Fabriquée à partir d'une potion étrange et d'une poudre de blaze, cette potion augmentera les dégâts que tu infligeras aux autres joueurs et aux monstres.

LE PATRON DE LA POUDRE DE BLAZE

Place un bâton de blaze dans ta fenêtre de fabrication pour en faire de la poudre.

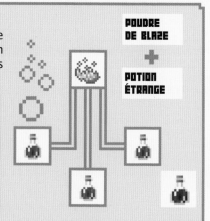

POUDRE DE BLAZE

+

POTION ÉTRANGE

LA POTION DE SOIN

Fabriquée à partir d'une potion étrange et d'une pastèque scintillante, cette potion t'aidera à soigner tes blessures en te redonnant 4 points de vie par potion.

PATRON DE LA PASTÈQUE SCINTILLANTE

Une tranche de pastèque et 8 pépites d'or donneront une pastèque scintillante.

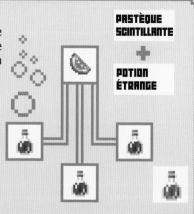

PASTÈQUE SCINTILLANTE

+

POTION ÉTRANGE

LA POTION DE RAPIDITÉ

Fabriquée à partir d'une potion étrange et de sucre, cette potion te permettra d'aller plus vite, de sauter et de voir plus loin.

LA RECETTE DU SUCRE

Place simplement de la canne à sucre dans ta fenêtre de fabrication pour faire du sucre.

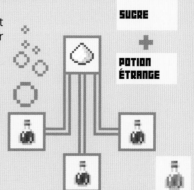

SUCRE

+

POTION ÉTRANGE

LA POTION D'INVISIBILITÉ

Fabriquée avec une potion étrange, une carotte d'or (recette de la potion de vision nocturne) et un œil fermenté d'araignée (page suivante), elle te rendra invisible.

LA RECETTE DE LA CAROTTE D'OR

Tu auras besoin de 8 pépites d'or et d'une carotte pour concocter une carotte d'or.

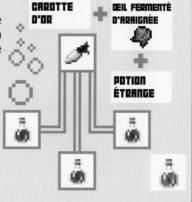

CAROTTE D'OR

+

ŒIL FERMENTÉ D'ARAIGNÉE

+

POTION ÉTRANGE

LA POTION DE RÉGÉNÉRATION

Fabriquée à partir d'une potion étrange et d'une larme de ghast, cette potion restaurera un total de 18 points de vie au rythme d'un point toutes les 2,5 secondes.

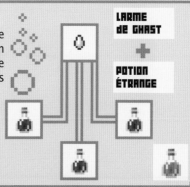

LARME DE GHAST

+

POTION ÉTRANGE

LES POTIONS DE SOUTIEN

... (SUITE)

LA POTION DE VISION NOCTURNE

Fabriquée avec une potion étrange et une carotte dorée, cette potion te rendra apte à voir pendant la nuit en éclaircissant tout ce que tu peux voir à la luminosité 15 (celle du jour).

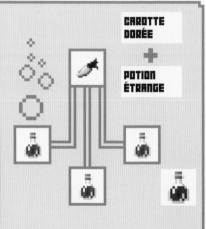

CAROTTE DORÉE

+

POTION ÉTRANGE

LE PATRON DE LA CAROTTE DORÉE

Place une carotte dans ta grille de fabrication et entoure-la de 8 pépites d'or.

LA POTION DE RÉSISTANCE AU FEU

Fabriquée avec une potion étrange et une crème de magma, elle t'immunisera contre le feu, la lave et les attaques à distance des blazes.

CRÈME DE MAGMA

+

POTION ÉTRANGE

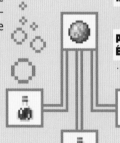

LA POTION D'APNÉE

Fabriquée avec une potion étrange et un poisson-globe, cette potion te permettra de respirer sous l'eau et d'y voir un peu mieux quand tu es dans les abysses.

POISSON-GLOBE

+

POTION ÉTRANGE

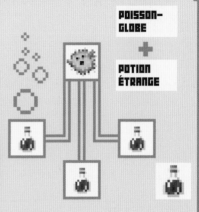

LA POTION DE SAUT

Fabriquée avec une potion étrange et une patte de lapin, cette potion te permettra de sauter plus haut et de réduire les dommages subis à la réception d'une chute.

PATTE DE LAPIN

+

POTION ÉTRANGE

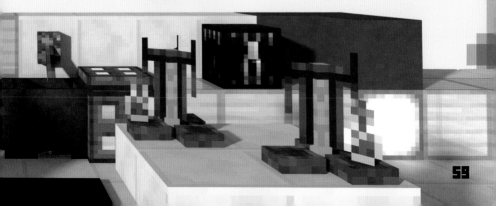

LES POTIONS D'ATTAQUE

Tu peux utiliser des yeux normaux et des yeux fermentés d'araignée pour créer des potions d'attaque à lancer sur tes adversaires (voir les potions volatiles, page suivante). Les yeux d'araignée s'obtiennent en tuant des araignées normales ou des araignées bleues, et peuvent également être lâchés par des sorcières.

LE PATRON DE L'ŒIL FERMENTÉ D'ARAIGNÉE

1 œil fermenté d'araignée peut être obtenu à partir d'un œil d'araignée, d'un champignon et d'un sucre. Beurk ! Ce n'est pas un casse-croûte.

LA POTION DE DÉGÂTS

Tu peux la fabriquer de deux manières différentes : une potion de soin plus un œil fermenté ou une potion de poison plus un œil fermenté. Elle infligera 6 points de dégâts à ton adversaire.

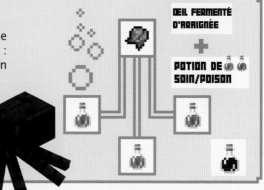

ŒIL FERMENTÉ D'ARAIGNÉE
+
POTION DE SOIN/POISON

LA POTION DE POISON

Fabriquée à partir d'une potion étrange et d'un œil d'araignée, cette potion empoisonnera celui qui la boit pendant 22 secondes. Le joueur perdra alors 1 point de vie toutes les 1,25 seconde jusqu'à la fin de la contamination mais l'effet s'arrêtera tout seul quand le joueur n'aura plus qu'un seul point de vie.

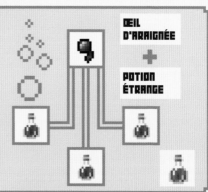

ŒIL D'ARAIGNÉE
+
POTION ÉTRANGE

LA POTION DE FAIBLESSE

Tu peux la produire de deux façons différentes : potion de force plus œil fermenté ou potion de régénération plus œil fermenté. Cette potion réduira de moitié la puissance d'attaque (de près) de ton adversaire pendant 1 minute et 30 secondes.

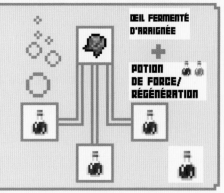

LA POTION DE LENTEUR

Elle peut être préparée de deux façons : soit avec la potion de résistance au feu plus un œil fermenté soit avec une potion de rapidité plus un œil fermenté. Cette potion réduira la vitesse de ton adversaire ainsi que la hauteur de ses sauts. Cela pendant 1 minute et 30 secondes.

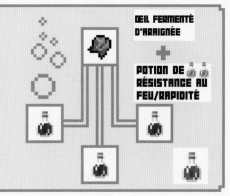

LES POTIONS VOLATILES

Une potion volatile est une potion qui peut être lancée. Tu peux transformer toutes les potions buvables en potions volatiles en les combinant simplement avec de la poudre à canon. Les potions qui ont des effets négatifs deviennent des armes quand elles sont volatiles. Place-les dans ta barre d'inventaire rapide puis fais un clic droit pour les lancer sur tes adversaires.

JOUEUR CONTRE JOUEUR

Joueur contre joueur, ou JcJ (PVP en anglais), est un mode de jeu à plusieurs où tu peux te battre contre d'autres joueurs. Tu peux affronter tes adversaires seul ou former des équipes. C'est génial!

LE PVP ORGANISÉ

Cela désigne un PVP auquel tu as décidé de participer. Si tu rejoins un serveur PVP dédié ou si tu organises un match PVP avec tes amis, tu vas jouer à du PVP organisé. De nombreux jeux de ce type se déroulent dans des arènes spécialement construites pour cela. Elles sont généralement faites en mode Créatif, puis l'hôte remet le jeu en mode Survie et ouvre le serveur à d'autres joueurs.

LE PVP LIBRE

Cela désigne les situations où tu peux être attaqué à tout moment. Imagine la scène : tu te promènes dans une jolie forêt, vaquant à tes occupations, quand un autre joueur te frappe dans le dos avec une épée enchantée en diamant. Il ne lui prendra que quelques secondes pour te tuer... C'est ça le PVP libre. C'est ce qu'on appelle «se faire poignarder dans le dos»!

LE MULTIJOUEUR PAUL SOARES JR

PAUL SOARES JR :
Paul est un spécialiste de Minecraft et a été une des premières personnes à faire des tutoriels sur YouTube. Sa première vidéo, *Comment survivre à ta première nuit*, est sortie en 2010 et il a plus de 1 109 900 abonnés. Va voir sa chaîne pour plus d'astuces en combat!
youtube.com/paulsoaresjr

Jouer à Minecraft avec ta famille ou tes amis, c'est juste génial! Vous pouvez vous entraider pour survivre, vous allier et vous lancer dans des aventures épiques, partager vos plus belles créations et vous faire plein de blagues idiotes! Les possibilités sont infinies et tu as juste à trouver quelques joueurs amis et une manière simple de vous connecter entre vous. Pour jouer en multijoueur dans la version de poche, ton appareil aura besoin d'un signal Wifi, et il devra être «visible» pour les autres appareils à proximité. Sélectionne le mode multijoueur, puis commence un nouveau jeu et attends que des amis te rejoignent. Tu peux aussi choisir de rejoindre une partie déjà existante, tu n'as plus qu'à retrouver tes amis dans ce vaste monde. Pour jouer en multijoueur sur Xbox 360, tu devras être membre du Xbox Live Gold. Tu pourras alors jouer avec 8 joueurs au maximum, mais tu ne pourras pas accéder aux serveurs réservés aux versions PC ou Mac. Tu peux aussi jouer en écran partagé avec 3 autres joueurs sur la même Xbox.

MULTIJOUEUR
POUR L'ÉDITION PC OU MAC

Jouer en multijoueur sur la version PC ou Mac est vraiment quelque chose de génial car tu peux jouer avec beaucoup plus de personnes. Tu as trois options :

1. CRÉE TON PROPRE SERVEUR DÉDIÉ

IL FAUT ÊTRE UN GEEK EN HERBE

Un serveur dédié est un programme spécial, le Minecraft Server, qui tourne en permanence sur un ordinateur et qui permet à d'autres joueurs de s'y connecter, de n'importe où dans le monde. Cet ordinateur est appelé «l'hôte» et tu dois donner son adresse IP aux gens que tu invites à jouer avec toi. L'ordinateur «hôte» doit être assez récent pour fournir un confort de jeu optimal pour tous.

Tu peux télécharger le programme Minecraft Server gratuitement sur le site officiel de Minecraft (minecraft.net) et suivre simplement les instructions d'installation qui te sont fournies.

2. OUVRE UN MONDE SOLO (UN SEUL JOUEUR) EN MODE LAN

DES CONNAISSANCES BASIQUES REQUISES

Si tu as plus d'un ordinateur à la maison tu peux activer le mode LAN (déjà inclus dans Minecraft) pour jouer avec d'autres joueurs sur un monde solo. Cela s'appelle un monde LAN et c'est assez simple à mettre en place. Voici les étapes à suivre :

1. Crée un monde solo puis appuie sur Echap.

2. Clique sur le bouton «Open to LAN».

3. Choisis les options pour cette session, c'est-à-dire le mode de jeu et si la triche est activée ou non.

4. Clique sur «Start LAN World».

Maintenant, sur ton autre ordinateur chez toi, lance Minecraft, choisis le mode multijoueur et ton monde LAN devrait apparaître. Sélectionne-le et clique sur le bouton «Rejoindre le serveur». Que le jeu commence!

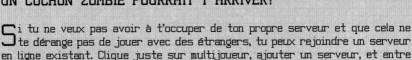

3. JOUE SUR UN SERVEUR EN LIGNE

UN COCHON ZOMBIE POURRAIT Y ARRIVER!

Si tu ne veux pas avoir à t'occuper de ton propre serveur et que cela ne te dérange pas de jouer avec des étrangers, tu peux rejoindre un serveur en ligne existant. Clique juste sur multijoueur, ajouter un serveur, et entre l'adresse du serveur. Ça c'est facile à faire.

Le plus difficile est de choisir sur quels serveurs jouer! Il y a des milliers de serveurs différents et chacun a ses propres règles, styles de jeu et joueurs. Regarde dans des annuaires de serveurs comme minecraftservers. net pour t'y retrouver. De nombreux administrateurs de serveurs en font la publicité sur de célèbres forums Minecraft comme minecraftforum.net et punchwood.com, afin de recruter de nouveaux joueurs.

N'oublie pas, ces sites ne sont pas contrôlés par Mojang ou Gallimard Jeunesse, sois donc très prudent. (voir p. 2 nos conseils de sécurité sur Internet).

Fête des vacances sur le serveur privé de la famille de Paulsoaresjr.

LA PRÉPARATION AU COMBAT

Tu voudrais bien rester en vie le plus longtemps possible en PVP libre? Tu vas donc devoir être malin et organisé. Utilise le pense-bête ci-contre pour te préparer à la bataille.

 ASTUCE : organise bien ton inventaire : nourriture stockée dans une zone précise, armes dans une autre, potions dans une autre, et ainsi de suite. Cela te permettra de vite transférer des objets dans ta barre d'inventaire rapide, même en pleine bataille.

Coche

Une armure complète (fer au minimum) avec des enchantements comme «Protection» ou «Solidité»

Au moins 2 épées avec des enchantements comme «Tranchant», «Châtiment» ou «Recul»

Un arc enchanté avec au moins 20 flèches

Du TNT

Un seau de lave

Un seau d'eau

Un briquet

Une potion volatile de poison

Une potion volatile de faiblesse

Une potion volatile de dégâts

Une potion d'invisibilité

Une potion de soin

Une potion de régénération

Une soupe de champignons (voir p. 70)

Un steak cuit

Des pommes d'or : elles rendent de la vie et donnent aussi un effet Régénération II pendant 5 secondes et Absorption pendant 2 minutes.

 ASTUCE : quand tu joues en PVP, stocke tes objets précieux dans un coffre protégé dans ta base. NE LES PRENDS PAS avec toi ou tu feras un beau cadeau au joueur qui arrivera à te battre. Cache ton coffre dans le sol pour qu'il soit difficile à trouver.

LA STRATÉGIE

Un guerrier expérimenté sait que la victoire est avant tout histoire de stratégie. Il ne faut pas juste attaquer à tout-va, il faut surtout préparer ses actions à l'avance et utiliser son cerveau pour avoir l'avantage sur l'ennemi.

Tu peux essayer de te précipiter sans réfléchir au cœur de la bataille, en frappant tout et tout le monde, mais tu seras meilleur si tu essayes d'appliquer ces quelques conseils.

Fabrique-toi une carte pour connaître ta position ainsi que celle de tes adversaires. Occupe les zones en hauteur pour voir loin et repousser tes adversaires.

Trouve un emplacement adéquat pour ta base et commence à la construire. Essaye de te placer loin des autres joueurs. Les bases dans le ciel ou sous terre sont les plus difficiles à repérer. Construis ta base en obsidienne, c'est le matériau le plus solide.

Attaque tes ennemis un par un. C'est beaucoup plus facile que de combattre plusieurs joueurs en même temps. Approche de tes adversaires par-derrière pour les surprendre, puis utilise les pas de côté pour tourner autour d'eux. Ils auront plus de mal à te toucher.

Si tu pousses ton adversaire dans l'eau, ses mouvements seront très réduits et cela te donnera l'avantage.

Garde les mains vides jusqu'au moment où tu es face à ton adversaire, puis choisis ton arme. Cela lui donne un faux sentiment de sécurité. Porte le premier coup, pour faire descendre tout de suite les points de vie de ton adversaire.

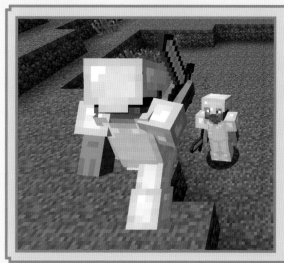

Sprinter vers ton adversaire et le frapper à pleine vitesse (frappe sprintée) te permettra de le repousser au loin. Essaye la frappe bloquée (frapper et bloquer en même temps). Cela te permettra d'infliger des dégâts à ton adversaire et d'en prendre moins. Finalement, frappe ton adversaire en sautant pour lui faire plus de dégâts. C'est un coup critique.

LA STRATÉGIE

... (SUITE)

Essaye la soupe de champignons ! Place une épée dans la première case de ta barre d'inventaire rapide et une soupe de champignons dans les 8 autres. Quand ta santé descend de moitié pendant la bataille, bloque les coups en mangeant une soupe en même temps. Cela te permet de récupérer de la vie.

Souviens-toi que tu as des potions et des potions volatiles. Une potion d'invisibilité peut être extrêmement utile quand tu veux surprendre tes adversaires. Celles de rapidité, de soin et de force te donneront vraiment l'avantage. N'oublie pas d'enlever ton armure quand tu prends une potion d'invisibilité car elle sera encore visible si tu la portes.

Place des toiles d'araignée sur le passage de tes ennemis. Ils seront bloqués dedans ou ils devront les contourner. Dans tous les cas, cela les ralentira.

Quand tu ne cherches pas le combat, accroupis-toi pour cacher ton nom à la vue des autres joueurs et rester discret.

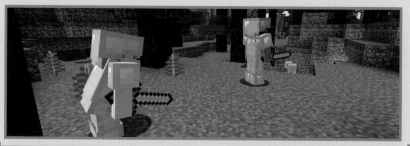

Garde toujours quelques blocs de terre dans ton inventaire. De cette manière tu peux rapidement te construire une tour sous tes pieds si tu n'as pas d'autres moyens d'éviter les attaques des autres joueurs.

LA BATAILLE DU FORT
PAR FYREUK

Maintenant que tu connais la «Voie du Guerrier», il est temps de te faire un champ de bataille sur lequel tester tes nouvelles techniques de combat. Un fort est parfait pour accueillir la bataille épique de tes rêves.

Ce fort, construit par FyreUK, est un impressionnant champ de bataille possédant de nombreuses particularités intéressantes. Tourne la page pour voir comment le construire.

FYREUK : l'équipe de bâtisseurs FyreUK est spécialisée dans la construction de bâtiments énormes et très détaillés dans Minecraft. Va voir leur chaîne YouTube pour des vidéos : **youtube.com/fyreuk**

UN FORT SPÉCIAL

LES DISTRIBUTEURS DE FLÈCHES

As-tu repéré les distributeurs au second niveau de la tour? Ils sont remplis de flèches et ils font face à l'entrée. Derrière, des plaques de pression permettent de les activer. Maintenant tu peux tirer des flèches sur les joueurs agressifs tout en restant à couvert. (voir p. 11 pour le patron du distributeur)

LE PIÈGE À LA PIERRE DES ÂMES

Ajoute de la pierre des Âmes pour ralentir les joueurs (ce bloc se trouve dans le Nether). Tu peux en placer de manière discontinue, pour donner une chance à tes ennemis de les franchir. Tu peux aussi créer une ligne pleine qui les gênera davantage.

LES DOUVES DE LAVE

Les douves traditionnelles d'un château sont remplies d'eau, mais fais quelque chose de plus amusant! Remplis-les avec de la lave! Tu auras besoin de plusieurs seaux de lave pour remplir les douves. Sois patient et remplis bien de lave les fossés jusqu'à ce qu'ils soient bien pleins pour êtres efficaces!

LA FOSSE AUX CACTUS

Tu peux aussi remplir les fossés avec des cactus, placés les uns à côté des autres. Tu pourrais créer une entrée secrète au fort pour récompenser ceux qui arriveront à franchir cette fosse mortelle.

 ASTUCE : fais bien attention en utilisant de la lave, surtout si tu as un pont-levis ou des murs en bois. Tu ne voudrais pas qu'on t'appelle «Le Joueur Qui Brûle Son Propre Fort». Garde toujours un seau d'eau sur toi par précaution.

LA CHUTE MORTELLE
PAR CNB MINECRAFT

C e piège est invisible et il est quasiment impossible d'y échapper! Ce qui ressemble à une innocente porte en fer est en fait un piège qui peut faire tomber un joueur jusqu'à la bedrock.

LES MATÉRIAUX DE CONSTRUCTION

CNB MINECRAFT : Nick Farwell, connu sous le nom de CNB Minecraft, est un magicien de la redstone. Il peut tout construire!

1

Il faut une entrée normale pour ce piège. Une fois terminée, elle doit comporter une porte avec une plaque de pression de chaque côté. Ne place pas les plaques tout de suite avant d'avoir creusé un trou très profond!

2

Creuse le puits devant la porte : au moins 20 blocs de profondeur. N'oublie pas la règle numéro 1 : ne jamais creuser sous ses pieds. Creuse un trou de 2 x 1 pour voir l'endroit où tu creuses en étant sur l'autre bloc.

LA CHUTE MORTELLE
... (SUITE)

3

Dégage un espace de 4 x 2 x 3 blocs sur le côté de la porte pour y placer le circuit redstone qui alimentera le piège. Au sommet de cette zone, place un unique piston collant fermant le puits. Fais la même chose en dessous et place un bloc devant chaque piston.

4

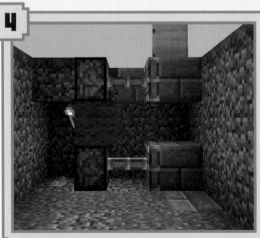

Assure-toi que le bloc devant le piston est bien de même nature que le reste du sol pour bien camoufler ton piège. Place une laine bleue entre les 2 pistons collants. Place une torche de redstone sur le côté gauche de la laine, puis place un bloc normal au-dessus de la torche et une poudre de redstone sous celle-ci. La torche va activer les pistons afin qu'ils repoussent le bloc devant eux.

5

Ajoute un piston simple entre les 2 pistons collants, avec la face dans la direction opposée, à droite de la laine bleue. Place une autre poudre de redstone derrière le piston simple.

6

Remplis le reste du puits et fais le reste des murs. Puis place les plaques de pression de chaque côté de la porte. La seule partie visible du piège est maintenant la face supérieure du piston du haut. Dans la plupart des cas l'entrée sera placée dans un mur, donc on ne verra absolument pas le piège. La prochaine personne qui essayera d'entrer va être surprise, et fera une très longue chute...

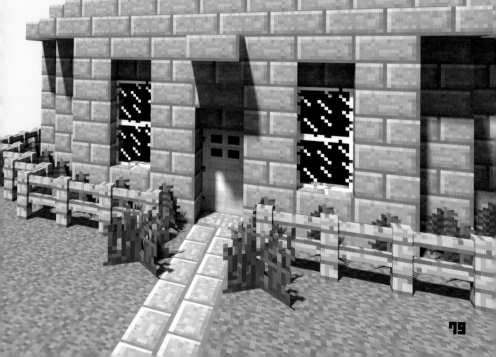

L'ARBRE EXPLOSIF
PAR CNB MINECRAFT

C e piège, simple et classique, est génial pour faire une blague à tes amis sur un serveur multijoueur. Le coup de maître est qu'il repose principalement sur le besoin fondamental des joueurs de couper du bois. C'est génial.

Le principe du piège est d'activer un bloc de TNT quand un joueur va récolter un tronc d'arbre. Choisis le nombre de blocs de TNT. Les 12 blocs utilisés ici sont bien plus que nécessaires!

LES MATÉRIAUX DE CONSTRUCTION

1

Choisis un arbre. N'importe lequel. Ici, il s'agit d'un chêne. Il faut qu'il ait de fortes chances d'être coupé. Il doit s'agir, par exemple, d'un arbre proche d'une base ennemie.

2

Creuse une zone sous l'arbre pour le TNT et le circuit d'activation. Tu auras besoin de 2 blocs de profondeur, 5 de large et de longueur avec l'arbre au centre.

3

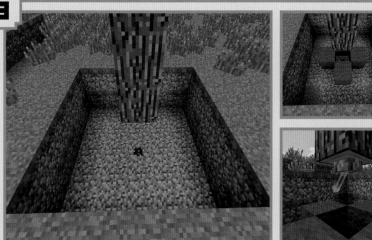

Retire le bloc du bas de l'arbre et place une poudre de redstone directement sous l'arbre, puis entoure-la de blocs de laine bleue comme sur l'image. Place un levier sous le dernier bloc du tronc, puis active le levier. Il activera la poudre de redstone.

L'ARBRE EXPLOSIF
... (SUITE)

4

Place des torches de redstone sur la face extérieure de chaque bloc de laine. Ils activeront les blocs de TNT quand le levier sera détaché du tronc.

5

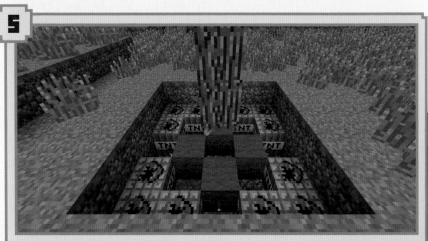

Maintenant la partie amusante – ajoute les blocs de TNT! Cet exemple compte 3 blocs dans chaque coin du trou.

6

Ensuite, recouvre l'ensemble du trou avec des blocs assortis au paysage pour que rien ne se remarque.

7

Tu as juste à attendre qu'un autre joueur repère cet arbre spécial!

LE CANON À TNT

Ce large canon fonctionne au TNT et tire également des blocs de TNT. Il entraîne une destruction massive, épique et peut être utilisé comme une arme dévastatrice, en particulier si tu veux faire exploser une base ennemie.

LES MATÉRIAUX DE CONSTRUCTION

1

Construis une forme en U avec des blocs de laine verte. Cela doit faire 6 blocs de long et 3 de large. Place de la poudre de redstone au sommet de chaque bloc pour créer un fil.

2

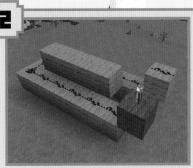

En commençant par l'avant, place 4 laines vertes au centre de la forme en U mais un bloc plus haut. Cela sera bientôt l'endroit où on place de l'eau. Ajoute maintenant une laine rouge et une verte derrière le canon comme ci-dessus. Place une torche de redstone au sommet de la laine rouge et une poudre de redstone au sommet de la verte.

LE CANON À TNT
... (SUITE)

3

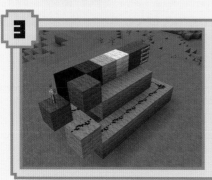

Construis une forme en L avec de la laine rouge, grise, blanche et noire, un bloc plus haut que la laine rouge qui porte une torche. Positionne une échelle à l'intérieur de la laine rouge au bout de la forme en L. Comme les échelles occupent un bloc entier cela va créer une zone de repos pour les projectiles de TNT et va empêcher l'eau de couler en dehors.

4

Ajoute une dalle de pierre au bout du «L» comme sur l'image. Vise la moitié supérieure de la laine rouge quand tu places la dalle. Ajoute maintenant 4 distributeurs à l'opposé de la branche longue du «L», faisant face à l'endroit où on va placer de l'eau. Ils vont délivrer le TNT dans le canon.

5

Place de la poudre de redstone sur la dalle et les distributeurs (pour les joueurs de PC/Mac, n'oubliez pas d'appuyer sur Shift). Place un bloc de laine rouge au-dessus de la torche de redstone. Place 5 répéteurs le long du «L» comme sur l'image, tous tournés vers l'avant du canon et réglés sur 4 ticks. Avec un seau d'eau, ajoute une seule source d'eau au fond du trou – l'eau va couler vers l'avant.

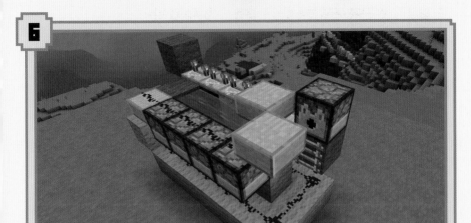

Ajoute un distributeur au sommet du bloc de laine rouge auquel est fixée l'échelle, qui fait face à l'eau. Place maintenant 2 dalles comme ci-dessus. Cela laissera un seul bloc d'air, donc vide, en face du distributeur de projectiles.

Remplis les 5 distributeurs avec des blocs de TNT, ajoute 4 sélecteurs de distance de jet sur le côté du canon. Presser le bouton sur le bloc de laine blanche te permettra de tirer le plus loin, et celui sur la laine noire fera tirer le canon à une distance proche. Amuse-toi à modifier les distances de tir !

COMMENT CONSTRUIRE
UNE BASE ÉPIQUE

Ta base doit être aussi sécurisée que possible pour te protéger, toi et tes objets précieux. Mais si tu veux qu'elle soit vraiment épique tu devras construire quelque chose qui soit assez impressionnant pour faire fuir tes ennemis. Suis ces conseils pour créer une base vraiment épique!

L'EMPLACEMENT

Place ta base en hauteur, pas en bas d'une colline. Cela te donnera l'avantage sur tes ennemis car tu les verras approcher de loin. Cela les empêche aussi de t'attaquer par surprise en arrivant par le haut.

LES MATÉRIAUX

Construis ta base avec de la brique du Nether. Cela indique à tes ennemis que tu as survécu assez longtemps au Nether pour y collecter beaucoup de ressources. Ils réfléchiront bien avant de t'attaquer. De plus, la brique du Nether ne craint pas le feu, ce qui en fait un bon choix pour une zone de bataille.

LA NETHERRACK ENFLAMMÉE

Utilise de la Netherrack pour créer des blocs flottants dans le feu, de chaque côté de l'entrée. C'est une bonne technique d'intimidation : tu as survécu au Nether ET tu aimes le feu? Il ne faut pas te chercher!

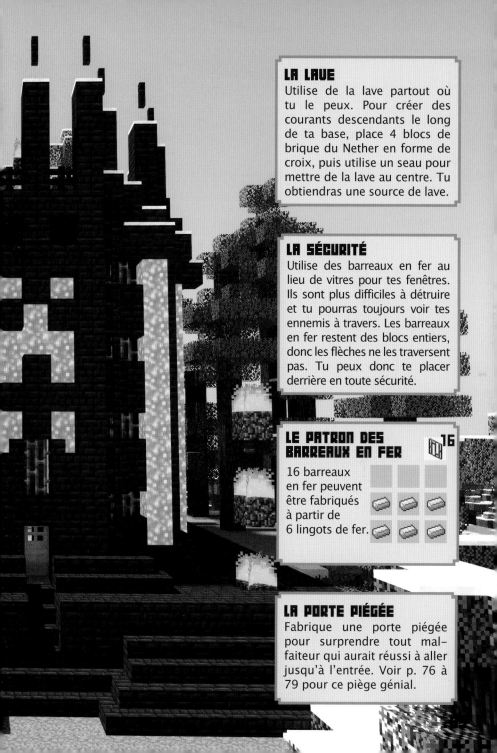

LA LAVE

Utilise de la lave partout où tu le peux. Pour créer des courants descendants le long de ta base, place 4 blocs de brique du Nether en forme de croix, puis utilise un seau pour mettre de la lave au centre. Tu obtiendras une source de lave.

LA SÉCURITÉ

Utilise des barreaux en fer au lieu de vitres pour tes fenêtres. Ils sont plus difficiles à détruire et tu pourras toujours voir tes ennemis à travers. Les barreaux en fer restent des blocs entiers, donc les flèches ne les traversent pas. Tu peux donc te placer derrière en toute sécurité.

LE PATRON DES BARREAUX EN FER

16

16 barreaux en fer peuvent être fabriqués à partir de 6 lingots de fer.

LA PORTE PIÉGÉE

Fabrique une porte piégée pour surprendre tout mal-faiteur qui aurait réussi à aller jusqu'à l'entrée. Voir p. 76 à 79 pour ce piège génial.

L'ATTAQUE D'UNE BASE

Attaquer une base ennemie c'est super «fun». Cela te permet d'avoir plus de ressources et d'affaiblir tes adversaires, ce qui les rend moins menaçants. Voilà comment mener un assaut proprement.

LE TIMING

Attaque de nuit. Quand tu prends d'assaut une base ennemie, l'obscurité est ton alliée.

LA RECONNAISSANCE

Observe bien la zone avant d'attaquer. Regarde qui est là et comment bien utiliser le terrain.

FAIS ÉQUIPE

Recrute un ami pour t'aider : deux joueurs valent mieux qu'un.

LES OUTILS

Prends ton meilleur outil. Une pioche enchantée en diamant est parfaite. Elle te permet de miner rapidement des blocs comme l'obsidienne. Et n'oublie pas d'en prendre en rechange.

L'ENNEMI DE TON ENNEMI

Si un creeper traîne autour de la base, attire-le vers elle. Il pourra t'aider à faire exploser le mur extérieur, gratuitement.

LES POTIONS VOLATILES
Prends des potions volatiles à utiliser contre tes adversaires s'ils se montrent.

LA SANTÉ
Prends de la nourriture pour entretenir ta santé et ta barre de faim.

UNE « MAP » SPÉCIALE

PAR FYREUK

Maintenant que tu maîtrises l'art du combat, il est temps de sortir ton épée du fourreau, de mettre ton casque et de savoir si tu es bien le meilleur guerrier que Minecraft ait connu! Et nous avons pour toi la «map» (carte) parfaite.

Elle s'appelle Remnant – une des «maps» de FyreUK spécialement conçues pour le jeu de survie. Dans le jeu en survie, le but n'est pas simplement de se battre entre joueurs, il est aussi de survivre dans son environnement. À l'intérieur de la «map» Remnant, tu trouveras de petits villages, des temples et des zones cachées remplies de coffres et d'objets utiles. Ton objectif est de les collecter et de battre les autres joueurs sur la «map» pour remporter la victoire.

LES COFFRES
Trouver rapidement des coffres et les objets qu'ils renferment te donnera un avantage certain sur les autres joueurs.

RECETTES DE FABRICATION
Souviens-toi bien des recettes de fabrication, en particulier pour l'épée, l'arc, les flèches et les pièces d'armure. Un arc peut être redoutable sur une grande «map», car tu seras capable d'éliminer tes ennemis à distance.

LA DISCRÉTION
Utilise la touche pour t'accroupir et ainsi cacher ton nom aux autres joueurs aux alentours (ton nom apparaît au-dessus de ta tête en multijoueur et il est visible à travers les blocs.)

LES OBJETS PRÉCIEUX

En jouant sur la « map » Remnant, tu n'auras pas à beaucoup t'éloigner du point de départ pour trouver des objets précieux. Le temple au centre a de nombreux chemins secrets et un hall complexe et labyrinthique où tu trouveras peut-être un trésor.

LES COULOIRS

Prends garde aux petits espaces fermés comme les couloirs, car tu pourrais t'y retrouver bloqué. Beaucoup de batailles débutent dans de petits espaces.

Pour les joueurs PC ou Mac : tu veux essayer la « map » Remnant ? Tu peux la télécharger sur minecraft.egmont.co.uk

Va voir sur PlanetMinecraft (www.planetminecraft.com) pour plus de « maps » à télécharger.

(Voir p. 2 pour les avertissements à propos d'Internet.)

LES SUCCÈS

Minecraft tient compte de tes succès quand tu joues sur les versions pour PC ou Mac ou pour les consoles. Voici quelques succès liés au combat que tu peux débloquer.

VERSION PC OU MAC :

À L'ATTAQUE!
Utilise des planches et un bâton pour faire une épée.

CHASSEUR DE MONSTRES
Attaque et tue un monstre.

DUEL DE SNIPERS
Tue un squelette ou un wither squelette avec une flèche depuis une distance supérieure à 50 m.

ALLER AU FOND DES CHOSES
Construis un portail pour le Nether.

RETOUR À L'ENVOYEUR
Détruis un ghast avec une boule de feu.

FIN?
Trouve l'Ender.

L'ENDER
Bats l'Enderdragon.

MASSACRE
Inflige 8 points de dégâts en un seul coup.

LE DÉBUT?
Fais apparaître le wither.

LE DÉBUT
Tue le wither.

VERSION CONSOLE

À L'ATTAQUE!
Utilise des planches et un bâton pour faire une épée.

CHASSEUR DE MONSTRES
Attaque et tue un monstre.

DANS LE NETHER
Construis un portail pour le Nether.

DES LIENS UTILES

Félicitations! Tu as fini le guide du combattant Minecraft, ce qui prouve que tu es un fier et redoutable guerrier. Tes ennemis devraient prendre garde!

Voici quelques sites qui te seront utiles pour diversifier et enrichir ton expérience sur Minecraft.

Site officiel Minecraft :
www.minecraft.net

Site officiel de Mojang :
www.mojang.com

Le wiki Minecraft :
www.minecraft-fr.gamepedia.com

La page officielle Facebook :
www.facebook.com/minecraft

La chaîne YouTube de l'équipe Mojang :
www.youtube.com/teammojang

Le Twitter officiel de Minecraft :
https://twitter.com/mojang

Le Twitter officiel de Jeb :
https://twitter.com/jeb_

Quelques autres sites qui ne sont pas vérifiés par Mojang. Ils sont donc sans garantie!

Informations détaillées sur les serveurs :
minecraftservers.net

Packs de texture :
www.minecrafttexturepacks.com

Minecraft sur Reddit :
www.reddit.com/r/Minecraft/

La chaîne YouTube de Paul Soares Jr
www.youtube.com/paulsoaresjr

La chaîne YouTube de FyreUK :
www.youtube.com/fyreuk

(Voir p. 2 nos recommandations pour la sécurité des enfants sur Internet)